CW00840419

Cyhoeddwyd 2004 gan Wasg y Dref Wen,
28 Ffordd yr Eglwys, Yr Eglwys Newydd,
Caerdydd CF14 2EA, ffôn 029 20617860.
Cyhoeddwyd yn gyntaf yn y Deyrnas Unedig yn 2001
Cyhoeddwyd y fersiwn hwn yn 2003 gan Egmont Children's Books Limited,
Adran o Egmont Holding Limited
239 Kensington High Street, Llundain W8 6SA
Cyhoeddwyd fersiwn clawr caled gan Lyfrgell Heinemann,
Adran o Reed Educational and Professional Publishing Limited,
trwy drefniant gyda Egmont Books Limited.

Testun a lluniau©Jan Fearnley 2001
Y mae'r awdur/arlunydd wedi datgan ei hawl moesol.
Y fersiwn Gymraeg © 2004 Dref Wen Cyf.
Argraffwyd a rhwymwyd yn yr Eidal.
Gwerthir y llyfr hwn ar yr amod na chaiff, trwy fasnach nac fel arall, ei fenthyg, ei ail-
werthu neu ei gylchredeg mewn unrhyw fodd nac ar unrhyw ffurf ac eithrio'r clawr a'r
rhwymiad a gyhoeddwyd heb hawl blaenorol y cyhoeddwyr, a heb sicrhau fod yr un
amodau'n parhau i fodoli ar y prynwr dilynol.

Gruffudd a'r Grafanc Gyrliog

Jan Fearnley

addasiad gan
Catrin Hughes

Bananas Glas

I Izaak ac Emily

J.F.

Yn rhif 34, Stryd y Wern, deffrodd Gruffudd yn teimlo'n gyffrous iawn. Roedd e'n mynd i'r amgueddfa heddiw.

Roedd Gruffudd yn gwirioni ar amgueddfeydd.

5

Ymolchodd Gruff ei wyneb, a hyd yn oed y tu ôl i'w glustiau.

Brwsiodd ei ddannedd, *heb* i'w fam ofyn iddo ddwywaith.

Yna gwisgodd yn gyflym.

6

Bwytaodd ei uwd – hyd yn oed y darnau lympiog ych-a-fi!

Bu'n disgwyl am oes tra oedd ei fam yn ymbincio.

O'r diwedd, i ffwrdd â nhw.

Tuchanodd y bws yn swnllyd wrth deithio trwy'r dref, nes cyrraedd, o'r diwedd, at yr arhosfan olaf un.

Arhosfan yr amgueddfa.

Rhoddodd Mam arian i Gruff i dalu am ei
docyn. Rhuthrodd i fyny'r grisiau.

'Cofia ddweud diolch,' galwodd Mam.

Gwichiodd y giât-dro wrth i Gruff ei gwthio

â'i holl nerth.

Aethant ar hyd y coridor hir, a'r sŵn

yn atseinio o'u cwmpas.

Roedd yn dywyll, ac roedd arogl cwyr

gwenyn a bagiau hen ferched ym mhobman.

'Paid â rhedeg o 'mlaen i,' meddai Mam, gan

glopian ar ei ôl.

11

Aethon nhw i weld y darluniau.

Aethon nhw i weld yr arfwisgoedd disglair.

Aethon nhw i weld y mymïod Eifftaidd.

Aethon nhw i weld y cerfluniau.

Roedd yno famoth mawr gwlanog. Cododd hwnnw ei drwnc i'w cyfarch, ac edrychai fel pe bai'n eu cyfeirio at arwydd ....

AT Y DEINOSORIAID.

Sugnodd Gruff ei fochau'n ddisgwylgar.

Gwnaeth siâp 'wwww!' mawr â'i geg. *Dyma'r*

peth oedd e eisiau ei weld yn fwy na dim

arall.

15

Prysurodd ar hyd y coridor llychlyd a thywyll.

Roedd y deinosoriaid yn disgwyl amdano.

'Dim rhy gyflym!' meddai Mam.

Yna, gwelodd hi Mrs Elis o lawr y lôn, ac

arhosodd am sgwrs â hi.

Roedd Gruffudd ar ei ben

ei hun …

… ar wahân i'r deinosoriaid, wrth gwrs.

Edrychodd Gruff ar sgerbydau'r deinosoriaid.

Sgerbydau mawr, sgerbydau bach, a'r sgerbydau lleia rioe

Sgerbydau tew, sgerbydau tenau, a ffosilau gwastad, sgleiniog.

Roedd pob math o ddeinosoriaid i'w gweld yno.

Rhai'n hedfan, rhai'n nofio, rhai'n symud hyd yn oed, fel y rhai ar y teledu.

Ac yno, draw yn y gornel, ar ei ben ei hun, safai …

... y deinosor gorau erioed.

Roedd golau cryf, cyn gryfed â golau'r lleuad, yn goleuo ei groen melyn cnotiog.

Gorffwysai un droed anferth ar foncyff.

Daliai ei ben mawr, esgyrniog yn uchel.

Roedd ei lygaid bach yn serennu.

Roedd ganddo gannoedd o ddannedd miniog oedd yn gwenu gwên glyfar, ac ar bob llaw roedd crafanc gyrliog anferth. Roedd e'n ysblennydd. Roedd e'n hardd. Roedd e'n hollol cŵl!

Well i ti gredu hynny, boi!

Roedd arwydd yno'n dweud 'peidiwch â chyffwrdd', ond roedd yn rhaid i Gruff gael mynd yn agosach. Roedd llygaid bywiog y deinosor yn pefrio, a'r crafangau dychrynllyd yn disgleirio o dan y goleuadau.

Estynnodd Gruff ei law ... a chyffwrdd â'r grafanc yn ysgafn â blaen ei fys.

DISGYNNODD y grafanc oddi ar y deinosor!

Syrthiodd, fel cneuen fawr aeddfed, i mewn i
gledr llaw Gruff! Edrychodd Gruff o'i amgylcl
Roedd ei fochau'n dechrau llosgi. Caeodd ei
fysedd am y grafanc. Rhoddodd hi yn ei boce⟨
yn gyflym, ac aeth i chwilio am ei fam.

24

Yn sydyn, roedd Gruffudd ar frys eisiau gadael.

Ceisiodd Gruff beidio â meddwl am y

grafanc, ond roedd hi yno drwy'r amser, yn y

cefndir, yn llechu yn ei feddyliau.

Penderfynodd ganolbwyntio ar y wers nofio.

Bu'n gweithio mor galed fel yr aeth Mam ag

e i'r ffair fel gwobr. Roedd yn fendigedig.

Dechreuodd Gruff deimlo'n llawer gwell.

27

Roedd digon o amser i wneud ychydig o siopa cyn dal y bws am adref.

29

Erbyn y noson honno, roedd Gruffudd bron ag anghofio am y grafanc.

Ond, wrth iddo siglo 'nôl a mlaen, 'nôl a mlaen ar ei siglen, gallai Gruff glywed llais rhyfedd yn galw arno.

Roedd yn gwneud i'w wallt sefyll ar ei ben ...

Pwy ddwgodd fy nghrafanc?

Ble mae fy nghrafanc gyrliog?

Aeth rhywun â'm crafanc gyrliog!

Ti wnaeth!

Edrychodd Gruffudd o'i amgylch. Doedd dim golwg o neb.

Rhuodd y llais eto ...

Pwy ddwgodd fy nghrafanc?
Ble mae fy nghrafanc gyrliog?
Aeth rhywun â'm crafanc gyrliog!
Ti wnaeth!

Rhedodd Gruff drwy'r ardd a churo'n wyllt ar y drws. Gallai glywed y llais o hyd … Roedd yn ei ddilyn e!

Agorodd Mam y drws. Rhuthrodd Gruffudd heibio iddi.

'Diolch yn fawr. Croeso,' meddai Mam.

Llamodd Gruff fel bollt i fyny'r grisiau. Bang, bang, bang, stampiai ei draed. Bwm, bwm, bwm, curai ei galon. A thrwy gydol yr amser, roedd y llais yn dod yn nes, ac yn nes, ac yn nes …

Pwy ddwgodd fy nghrafanc?
Ble mae fy nghrafanc gyrliog?
Aeth rhywun â'm crafanc gyrliog!
Ti wnaeth!

Cyrhaeddodd Gruff ei stafell a phlymio o dan y cwrlid.

Trwy'r cyfan, galwai'r llais ....

Tynnodd Gruff y cwrlid yn dynn dros ei
ben. Gallai glywed sŵn traed ar y grisiau.
Sŵn araf, pwyllog. Sŵn rhywbeth mawr yn
dringo'r grisiau, yn dod i'w lyncu mewn un
darn!

Agorodd y drws ... GWWWIIICH!

Mam oedd yno!

'Ro'n i'n meddwl mai deinosor oeddet ti!'

meddai Gruffudd.

Ges i fraw!

Wedi iddo gyrraedd i'w wely, estynnodd Gruff

o dan y cwrlid a rhoi'r grafanc gyrliog i'w fam.

'Crafanc deinosor go iawn yw hon,' meddai,

mewn llais bach iawn.

'Neis iawn,' meddai Mam, gan roi'r grafanc yn ei phoced.

'Fe awn ni â hi'n ôl fory.'

Ochneidiodd Gruff a gorwedd yn ôl yn ei wely. Darllenodd Mam stori iddo.

'Nos da,' meddai hi ar ddiwedd y stori.

Wedi bath hir, rhoddodd Mam y grafanc ym mhoced ei gŵn nos, ac aeth i lawr grisiau. 'Deinosoriaid wir!' chwarddodd. 'Mae'r fath ddychymyg 'da'r crwt 'na.'

Mae e'n rhaffu celwyddau.

Gwnaeth baned o siocled boeth iddi'i hun.

Estynnodd fisged iddi'i hun.

A gwnaeth ei hun yn gysurus ar y soffa.

Y diwrnod canlynol, roedd curadur yr amgueddfa'n grac iawn.

'Beth ddigwyddodd i'm arddangosfa i?' meddai.

Ni symudodd y deinosor, ond edrychai fel

pe bai'n sefyll yn fwy balch nag arfer, o'i

gorun nobl at flaenau ei grafangau lliwgar.

Roedd y deinosor yn fwy poblogaidd nag erioed! Dim ond Gruffudd a'i fam wyddai yn union beth ddigwyddodd. Ond doedden **nhw** ddim am ddweud wrth neb, byth.